LOOK, I CAN TALK MORE!

Student Notebook

¡MÍRAME, PUEDO HABLAR MÁS!
Cuaderno de Trabajo

Un Sistema Paso A Paso A La Communicacion
Por Medio De Cuentos TPR

Por
Blaine Ray, Joe Neilson, Dave Cline, y Carole Stevens

Ilustrado por Christopher Taleck

Sky Oaks Productions, Inc.
P.O. Box 1102
Los Gatos, CA 95031-1102

Look, I Can Talk More!
Student Book in Spanish (Level 2)
Available in English, Spanish, French, or German

by
Blaine Ray, Joe Neilson, Dave Cline, Carole Stevens
Illustrated by **Christopher Taleck**

SECOND EDITION
ISBN 978-1-56018-490-4

Published by
Sky Oaks Productions, Inc.
P.O. Box 1102 • Los Gatos, CA 95031

Phone:	(408) 395-7600
Fax:	(408) 395-8440
e-mail:	TPRWORLD@aol.com

To order online, click on:
www.tpr-world.com

Total Physical Response (TPR) is a registered trademark
of Sky Oaks Productions, Inc.

PREFACE

Look, I Can Talk More! is a sequel to *Look, I Can Talk!* Both books are a product of many years of teaching foreign language by using a strategy of instruction called **TPR-Storytelling**. **TPR-Storytelling** is a combination of **Total Physical Response (TPR)**, a technique developed by Dr. James Asher, and storytelling, a method refined and expanded by Blaine Ray in his first book, *Look, I Can Talk!*

Having used *Look, I Can Talk!*, we all have seen tremendous success and enthusiasm in our students. We felt the need to continue this instructional program with a series of new stories appropriate to a second year level. *Look, I Can Talk More!* is the product of our experience with **TPR-Storytelling** and our efforts to expand the repertoire of stories and storytelling techniques.

We are grateful to Dr. Asher for his ideas and support for this project.

We are indebted to the administrations of Stockdale High School of Bakersfield, California, and Salpointe Catholic High School of Tucson, Arizona for allowing us to use and enhance this innovative approach of language instruction in the classroom.

We thank our families for their help and patience throughout the development of this book, and for their support of our careers over the years.

We are ever appreciative of all of the wonderful students of Stockdale High School and Salpointe Catholic High School. We have gained so much from them, and their inspiration and enthusiasm continue to make our jobs meaningful and fun.

We are glad to have had the expert advice of Marci Harrington and Lynn Ossowski who helped us with the editing of the final text.

We also thank Dave Cosgrove for his good humor and the use of his production equipment.

Finally, we thank Christopher Taleck for his guidance in page layout and design and for his outstanding artwork which brings this book to life.

Please write to any of us if you have any suggestions or questions. We would be glad to demonstrate at in-service workshops the **TPR-Storytelling** technique and other TPR classroom applications.

Blaine Ray
8411 Nairn Dr.
Eagle Mountain, UT 84005
e-mail: blaineray@aol.com

Dave Cline *or* Carole Stevens
Stockdale High School
2800 Buenavista
Bakersfield, CA 93311

Joe Neilson
Salpointe Catholic High School
1545 East Copper Street
Tucson, AZ 85719

LISTA DE CUENTOS

Capítulo 1
¡Qué Casualidad!

Vocabulario

Ejercicio 1

Usa el vocabulario para describir cada dibujo con una frase completa.

a) el mostrador la maleta	b) subirse a	c) despegar volar	d) aterrizar

1. a) _____

    b) _____

    c) _____

    d) _____

a) pescar la lancha	b) las olas grandes	c) hundirse	d) rescatarlo

2. a) _____

    b) _____

    c) _____

    d) _____

a) el hotel la playa	b) la recepcionista la bolsa	c) impaciente enfadado esperar	d) golpear el palo de golf

3. a) _____

    b) _____

    c) _____

    d) _____

a) una copa una botella el vino	b) chorrear rota	c) examinar vacío	d) llenar

4. a) _____

    b) _____

    c) _____

    d) _____

¡Qué Casualidad!

¡Qué Casualidad!

Hay un hombre llamado Rodolfo que le gusta jugar al golf. También le gusta viajar mucho. Ahora que está de vacaciones, tiene ganas de ir a Europa. Así que va al aeropuerto y se sube a un avión y vuela a España para sus vacaciones. Cuando llega, quiere jugar al golf. Va al campo de golf, y se encuentra con Jack Nicklaus. ¡Qué casualidad! Los dos deciden jugar 18 hoyos a $1000 cada hoyo. Rodolfo juega bien, y Jack juega mal. Rodolfo gana $18,000.

Luego Rodolfo va a París. Anda en la calle cuando ve a Julia Roberts. ¡Qué casualidad! Ella le invita a comer en un restaurante carísimo. Ellos comen bastante. La comida cuesta $2000. Rodolfo va a pagar la cuenta, pero Julia le dice que no, y él no quiere ofender a una persona tan generosa. Así que ella lo paga todo, y despide a Rodolfo con un gran beso.

Después va a Nueva York por avión. Pero mientras vuela, el avión tiene algunos problemas serios y se cae en medio del Atlántico. Todos los pasajeros se ahogan menos Rodolfo. ¡Qué casualidad! Lo rescata un crucero de millonarios. Ya que ha perdido todo su dinero en el accidente del avión, le dice al capitán del barco que necesita dinero. El capitán hace una pequeña colecta de dinero, y junta $3,000,000 de todos los pasajeros. El capitán se lo da todo a Rodolfo. ¡Qué casualidad! Rodolfo vuelve a su casa y vive tan rico como un rey por el resto de su vida.

Ejercicio 2
Completa las frases.

1. A Rodolfo le gusta

   _____.

2. Va a España porque

   _____.

3. En el campo de golf, Rodolfo y Jack

   _____.

4. Rodolfo juega muy bien porque

   _____.

5. Julia invita a Rodolfo a comer porque

   _____.

6. Rodolfo quiere volver a Nueva York porque

   _____.

7. Rodolfo pierde todo su dinero porque

   _____.

8. Rodolfo no se ahoga porque

   _____.

9. Rodolfo tiene buena suerte porque

   _____.

10. Al final Rodolfo vive muy feliz porque

   _____.

Ejercicio 3
Contesta las preguntas en tus propias palabras.

1. ¿Por qué juega al golf en vez de al tenis Rodolfo?

2. ¿Por qué no va a Hong kong Rodolfo?

3. ¿Cuánto cuesta el viaje a Europa?

4. ¿Cómo se llama el campo de golf?

5. ¿Por qué juegan por sólo mil dólares al hoyo?

6. ¿Cómo va a Paris Rodolfo?

7. ¿Qué hace Julia Roberts en Paris?

8. ¿Quién es el dueño del restaruante carísimo?

9. Describe los problemas del avión

10. ¿Cuánto pagan los millonarios por viajar en el crucero?

Ejercicio 4
Escribe el cuento de un punto de vista diferente:
En la forma de "él":

_____

_____

_____

_____

_____

_____

_____

_____

_____

_____

_____

_____

_____

_____

Ejercicio 5
Contesta las preguntas personales.

1. ¿Qué haces tú cuando ganas un millón de dólares?

2. ¿Qué haces en Europa de noche?

3. ¿Qué haces en una cita con Julia Roberts?

4. ¿Qué haces cuando un avión se cae en medio del Atlántico?

5. Describe un crucero de millonarios.

Ejercicio 6
Escribe el cuento que la clase invente.

_____

_____

_____

_____

_____

_____

_____

_____

_____

_____

_____

_____

_____

_____

_____

_____

_____

_____

_____

_____

_____

_____

Ejercicio 7
Invéntale un final nuevo al cuento original.

_____

_____

_____

_____

_____

_____

_____

_____

_____

_____

_____

_____

Ejercicio 8
Escucha un cuento, dibújalo, y repítelo.

1.

a	b	c	d

2.

a	b	c	d

Versión A

Versión B

Ejercicio 9

Mira el primer y el último dibujo de este cuento nuevo, y completa el cuento con unos dibujos originales. Usa por lo mínimo 6 palabras del vocabulario de este capítulo.

Ejercicio 10

Escribe el cuento que acabas de dibujar arriba.

_____

_____

_____

_____

_____

_____

_____

_____

_____

Ejercicio 11

Mira el primer y el último dibujo de este cuento nuevo, y completa el cuento con unos dibujos originales. Usa por lo mínimo 6 palabras del vocabulario de este capítulo.

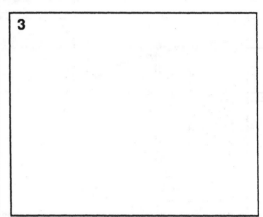

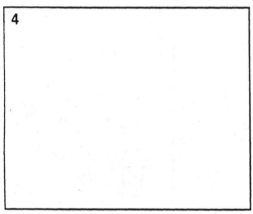

Ejercicio 12

Escribe el cuento que acabas de dibujar arriba.

_____

_____

_____

_____

_____

_____

_____

_____

_____

Capítulo 2

La Chica Social

Vocabulario

Ejercicio 1

Usa el vocabulario para describir cada dibujo con una frase completa.

a) cortarse	b) afeitarse	c) cepillarse	d) amarrar
el bigote	el espejo	los dientes	la corbata
las tijeras		la pasta	

1. a) _____

    b) _____

    c) _____

    d) _____

a) enamorarse de	b) invitar a cenar	c) besarse	d) casarse

2. a) _____

    b) _____

    c) _____

    d) _____

a) pelearse	b) ganar	c) devolverle	d) llevarse bien
el juguete	perder		
	quitarle		

3. a) _____

    b) _____

    c) _____

    d) _____

a) quitarse	b) ducharse	c) lavarse	d) secarse
la ropa	el agua caliente	el champú	la secadora

4. a) _____

    b) _____

    c) _____

    d) _____

La Chica Social

La Chica Social

Hay una muchacha que es muy bella. Se llama Rosita. Rosita huele como una flor porque se baña todos los días. También sonríe mucho porque tiene muchos admiradores.

Hay otra muchacha que se llama Nacha. Nacha no sonríe nunca porque no tiene ningún admirador. El problema es que Nacha apesta mucho, y todos los muchachos se alejan de ella. Nacha se acerca a Rosita y le explica su problema. Rosita sabe cómo resolver el problema pero tiene vergüenza de decírselo a Nacha.

Nacha nunca deja de hablar de su mala suerte con los chicos, y todos los días sueña con ser popular como Rosita. Nacha decide seguir todo lo que hace Rosita para tener éxito con los chicos. Un día, Rosita se riza el pelo de una manera extravagante. Así que Nacha trata de hacer lo mismo. Otro día, Rosita se viste como una vaquera; Nacha se viste igual. Y otro día, Rosita se pone un perfume francés y se pinta con maquillaje italiano. Y claro, Nacha también hace lo mismo.

Pero Nacha no tiene éxito con nadie porque sigue apestando. Se queja mucho con Rosita. Todos los días Nacha le habla de sus problemas. Por fin Rosita le dice, —Báñate dos veces cada día.

Nacha sigue los consejos de su amiga y dentro de tres días, tiene muchos admiradores que quieren pedirle una cita. Nacha no puede decidir con quién va a salir, así que decide salir con todos y todos se divierten muchísimo. Rosita también se alegra porque Nacha no tiene tiempo para quejarse con ella. Nacha se encuentra con sus amigos nuevos, y se divierte mucho.

Ejercicio 2
Completa las frases.

1. Rosita tiene muchas citas porque

_____.

2. Nacha no huele bien porque

_____.

3. Rosita no quiere decirle nada a Nacha porque

_____.

4. Nacha quiere

_____.

5. Nacha trata de

_____.

6. Los admiradores se alejan de Nacha porque

_____.

7. Rosita piensa que Nacha nunca

_____.

8. Nacha sigue los consejos de Rosita porque

_____.

9. Nacha se divierte con sus admiradores nuevos porque

_____.

10. Rosita está alegre porque

_____.

Ejercicio 3
Contesta las preguntas en tus propias palabras.

1. ¿Por qué huele como una flor Rosita?

2. ¿Por qué se baña tanto Rosita?

3. ¿Por qué no usa "Scope®" Nacha?

4. ¿Cómo le explica el problema Rosita a Nacha?

5. Explica cómo se hace popular Nacha.

6. ¿Por qué se viste como una vaquera Rosita?

7. ¿Por qué se pone perfume francés Rosita?

8. ¿Cuánto cuesta el maquillaje italiano?

9. ¿Qué clase de jabón usa Nacha?

10. ¿Qué hace Nacha cuando sale con los chicos?

Ejercicio 4
Escribe el cuento de un punto de vista diferente:
En la forma de"Ud.":

_____

_____

_____

_____

_____

_____

_____

_____

_____

_____

_____

_____

_____

_____

Ejercicio 5
Contesta las preguntas personales.

1. ¿Por qué quieren ser populares todos?

2. ¿Te gusta tener muchas citas con personas super populares? ¿Por qué?

3. ¿Te quejas mucho de tus padres cuando ellos te castigan? ¿Por qué?

4. ¿En cuáles situaciones tienes vergüenza?

5. ¿Es necesario ponerte desodorante? ¿Por qué?

Ejercicio 6
Escribe el cuento que la clase invente.

_____

_____

_____

_____

_____

_____

_____

_____

_____

_____

_____

_____

_____

_____

_____

_____

_____

_____

_____

_____

_____

_____

_____

Ejercicio 7
Invéntale un final nuevo al cuento original.

_____

_____

_____

_____

_____

_____

_____

_____

_____

_____

_____

_____

Ejercicio 8
Escucha un cuento, dibújalo, y repítelo.

1.

a	b	c	d

2.

a	b	c	d

Versión A

Versión B

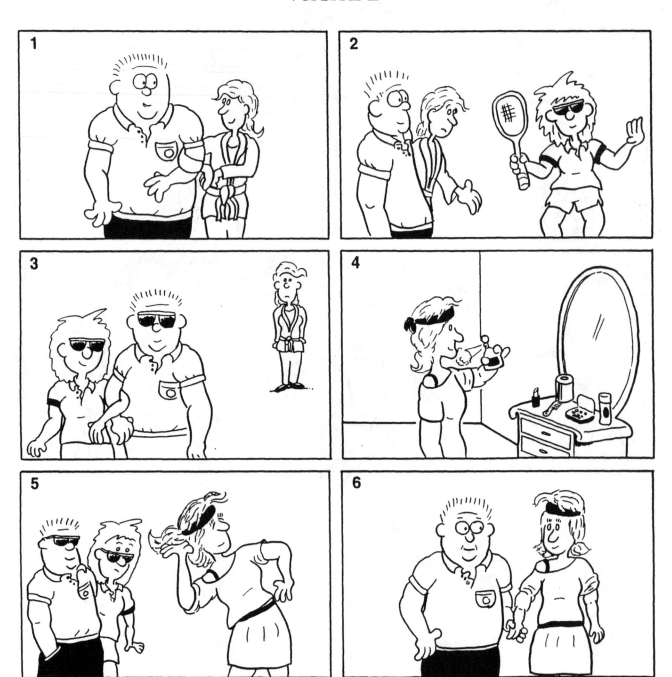

Ejercicio 9

Mira el primer y el último dibujo de este cuento nuevo, y completa el cuento con unos dibujos originales. Usa por lo mínimo 6 palabras del vocabulario de este capítulo.

Ejercicio 10

Escribe el cuento que acabas de dibujar arriba.

_____

_____

_____

_____

_____

_____

_____

_____

_____

Ejercicio 11

Mira el primer y el último dibujo de este cuento nuevo, y completa el cuento con unos dibujos originales. Usa por lo mínimo 6 palabras del vocabulario de este capítulo.

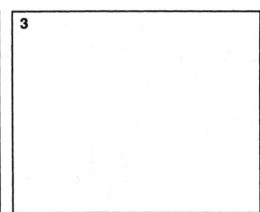

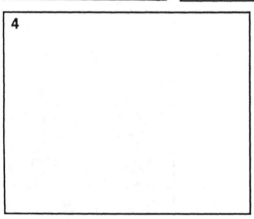

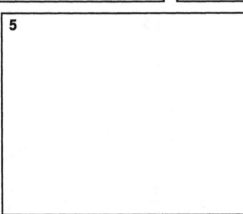

Ejercicio 12

Escribe el cuento que acabas de dibujar arriba.

_____

_____

_____

_____

_____

_____

_____

_____

_____

Capítulo 3
El Restaurante Elegante

Vocabulario

Ejercicio 1

Usa el vocabulario para describir cada dibujo con una frase completa.

a) aburrirse	b) entregarle	c) burlarse	d) despertarlo
dormirse	la tarea		golpear

1. a) _____

   b) _____

   c) _____

   d) _____

a) la panza	b) estar embarazada	c) pregunatarle	d) engordarse
delagada		tener un bebé	demasiado helado
gordita			

2. a) _____

   b) _____

   c) _____

   d) _____

a) escalar	b) estar sentado	c) tirarle una flor	d) empujarlo
trepar	cantarle	coger una flor	pillarlos
el balcón	tocar la guitarra		caerse

3. a) _____

   b) _____

   c) _____

   d) _____

a) la biblioteca	b) divertirse	c) rogarle	d) soñar con
darle permiso		negarle	

4. a) _____

   b) _____

   c) _____

   d) _____

El Restaurante Elegante

El Restaurante Elegante

Hay un hombre gordo y amable que se llama Tavo. Tavo tiene una novia que se llama Celeste. Celeste es una mujer joven y flaca con pelo largo y liso. Hace muchos años que los dos son novios, y ahora Tavo quiere casarse con Celeste. Así que la invita a cenar al restaurante más elegante de toda la ciudad.

Cuando llegan al restaurante, un mesero (que se llama Pierre) los lleva a una mesa en el rincón del restaurante. Tavo tiene ganas de hablar de la boda, pero Celeste tiene mucha hambre y sólo quiere comer. Pierre les da un menú, pero Tavo y Celeste no lo pueden entender porque está escrito en francés. Ellos le devuelven el menú a Pierre sin saber qué van a pedir de comida. Así que para empezar Pierre les recomienda una sopa famosa de papas.

En un rato, Pierre les trae la sopa. Los dos la prueban y les gusta porque está muy sabrosa. Pero de repente, Tavo encuentra un pelo grueso y largo en su tazón de sopa, y se pone muy enojado. Llama al mesero. Tavo saca el pelo de la sopa y se lo muestra a Pierre. Le grita, —¡¿Por qué hay un pelo en mi sopa?!

Pierre no le responde porque tiene mucha vergüenza. Tavo agarra el pelo y se lo tira a Pierre.

Luego, Pierre les trae el plato de pescado frito. Los dos lo prueban y les gusta porque está muy sabroso. Pero de repente, Tavo encuentra una mosca frita, y la saca del pescado y se la tira a Pierre. Ahora sí Pierre está bien preocupado porque a lo mejor Tavo no le va a dar ninguna propina.

Después, Pierre les trae el postre, un pastel de fresas. Los dos lo prueban y les gusta porque está muy sabroso. Pero de repente Tavo encuentra un calcetín sucio, y lo saca del pastel y se lo tira muy fuerte a Pierre. Al ver el calcetín, la pobre Celeste ya se siente tan mareada que se desmaya. Tavo se levanta para salir. Pierre trata de darle la cuenta pero Tavo se niega a pagarla. Pierre le ruega de rodillas. Tavo no le hace caso y se va, olvidándose de Celeste.

Pierre ve que Celeste está desmayada y la despierta. La invita a salir a comer hamburguesas. Celeste le dice, —Con mucho gusto.

Los dos van a un café barato. Mientras comen sus hamburguesas, se enamoran. Sin vacilar Pierre le pide la mano, y los dos van a la iglesia y se casan.

Ejercicio 2
Completa las frases.

1. Tavo piensa que Celeste

   _____.

2. El mesero tiene un nombre francés porque

   _____.

3. Pierre los lleva a una mesa en el rincón porque

   _____.

4. Pierre les recomienda la sopa porque

   _____.

5. Tavo está enojado con Pierre porque

   _____.

6. Pierre tiene vergüenza porque

   _____.

7. Tavo cree que Pierre

   _____.

8. Celeste se siente enferma porque

   _____.

9. Tavo no paga la cuenta porque

   _____.

10. Pierre le pide una cita a Celeste porque

   _____.

Ejercicio 3
Contesta las preguntas en tus propias palabras.

1. ¿Por qué anda Celeste con el pelo liso?

2. ¿Cuándo piensan casarse Tavo y Celeste?

3. ¿Por qué quiere hablar Tavo de la boda?

4. Además de casarse, ¿qué van a hacer durante la boda?

5. ¿Cuánto cuesta la sopa famosa de papas?

6. ¿Cuántos minutos hay en un rato?

7. ¿Cómo preparan la sopa famosa de papas?

8. ¿Por qué no come el pelo grueso?

9. ¿De quién es el calcetín sucio?

10. ¿Por qué se enamoran tan rápido Celeste y Pierre?

Ejercicio 4

Escribe el cuento de un punto de vista diferente:
En la forma de "ella":

_____

_____

_____

_____

_____

_____

_____

_____

_____

_____

_____

_____

_____

_____

_____

Ejercicio 5

Contesta las preguntas personales.

1. ¿Qué haces cuando ves a una mosca cerca de tu comida?

2. ¿Qué les tiras a los meseros feos?

3. Cuando encuentras un calcetín sucio en la comida, ¿te lo pones? ¿Por qué?

4. ¿Cuánto les das a las meseras guapas cuando comes en restaurantes elegantes?

5. Si tú trabajas como mesero(a) en un restaurante, ¿qué haces cuando no te dan propina?

Ejercicio 6
Escribe el cuento que la clase invente.

_____

_____

_____

_____

_____

_____

_____

_____

_____

_____

_____

_____

_____

_____

_____

_____

_____

_____

_____

_____

_____

_____

_____

Ejercicio 7
Invéntale un final nuevo al cuento original.

_____

_____

_____

_____

_____

_____

_____

_____

_____

_____

_____

_____

Ejercicio 8
Escucha un cuento, dibújalo, y repítelo.

1.

a	b	c	d

2.

a	b	c	d

Versión A

Versión B

Ejercicio 9

Mira el primer y el último dibujo de este cuento nuevo, y completa el cuento con unos dibujos originales. Usa por lo mínimo 6 palabras del vocabulario de este capítulo.

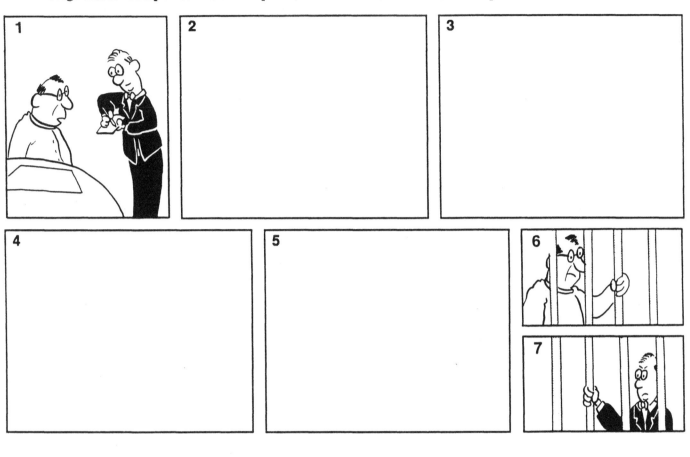

Ejercicio 10

Escribe el cuento que acabas de dibujar arriba.

_____

_____

_____

_____

_____

_____

_____

_____

_____

Ejercicio 11

Mira el primer y el último dibujo de este cuento nuevo, y completa el cuento con unos dibujos originales. Usa por lo mínimo 6 palabras del vocabulario de este capítulo.

Ejercicio 12

Escribe el cuento que acabas de dibujar arriba.

_____

_____

_____

_____

_____

_____

_____

_____

_____

Capítulo 4

Los Perros Olímpicos

Vocabulario

Ejercicio 1

Usa el vocabulario para describir cada dibujo con una frase completa.

a) listo	b) esquiar en el agua	c) volar por el aire	d) caerse el medio del lago

1. a) _____

   b) _____

   c) _____

   d) _____

a) hacer una carrera los conejos	b) tropezar con	c) dar la vuelta	d) ganar

2. a) _____

   b) _____

   c) _____

   d) _____

a) una pareja	b) bailar	c) derramar	d) tirarle estar mojado

3. a) _____

   b) _____

   c) _____

   d) _____

a) el mono comer los plátanos	b) engordar	c) demasiado enfermarse	d) operarle

4. a) _____

   b) _____

   c) _____

   d) _____

Los Perros Olímpicos

Los Perros Olímpicos

Había dos perros que tenían ganas de competir en los Juegos Olímpicos. El evento de los dos perros era la carrera de 100 metros.

Antes Pedro era muy flojo, pero ahora que quería competir en los Juegos Olímpicos, era un perro muy activo. Antes de decidirse a ir a los Juegos Olímpicos, él iba mucho al cine y comía muchos dulces. Pero como quería ganar el oro, empezó a levantar pesas y a comer menos. Antes iba a la playa a tomar el sol; ahora hacía ejercicios y corría todos los días. Se entrenaba tanto que bajaba de peso mientras se ponía más fuerte. Antes iba a todas las fiestas y salía con sus novias; ahora se acostaba muy temprano.

El otro perro que se llamaba José tenía la misma meta de lograr el oro, pero se portaba muy diferente. Salía con muchas perras y bailaba todas las noches en las fiestas. No hacía nada de ejercicios. No levantaba pesas ni corría tampoco. Más bien se sentaba todos los días a mirar la tele por horas seguidas mientras comía palomitas y tomaba refrescos. También pasaba horas en las playas tomando el sol en vez de entrenarse para los Juegos Olímpicos. Cada día subía de peso y se ponía más gordo.

Por fin los perros fueron a los Juegos Olímpicos, y el día de su evento llegó. Había mucha competición porque el perro francés y el perro alemán eran muy rápidos. Pero los perros americanos no estaban preocupados. La carrera empezó, y los perros corrieron. Todos empezaron bien, pero de pronto, José se sintió muy mareado y cansado. Mientras los otros perros corrían más rápido, José iba más despacio. Al final, Pedro ganó el campeonato del mundo, y recibió la medalla de oro. Pobre José quedó en el último lugar y no recibió nada, ni siquiera un hueso frito.

Ejercicio 2
Completa las frases.

1 Los dos perros querían
_____

2. Ahora Pedro era activo porque
_____

3. Pedro bajaba de peso porque
_____

4. José iba a muchas fiestas porque
_____

5. José subía de peso porque
_____

6. Los perros americanos no tenían miedo de la competición porque
_____

7. Cuando la carrera empezó, los perros
_____

8. José no ganó nada porque
_____

9. Pedro fue el campeón porque
_____

10. La lección que José aprendió fue
_____.

Ejercicio 3
Contesta las preguntas en tus propias palabras.

1. ¿Dónde fueron los Juegos Olímpicos?

2. ¿Por qué era muy flojo antes Pedro ?

3. ¿Cuáles dulces comía?

4. ¿Cuánto peso bajaba Pedro?

5. ¿A qué hora se acostaba Pedro?

6. ¿Por qué se portaba diferente José ?

7. ¿Cuáles programas miraba José en la tele?

8. ¿Dónde compraba las palomitas?

9. ¿Qué hizo José después de perder la carrera?

10. ¿Cómo se sintió José cuando vio a Pedro recibir la medalla de oro?

Ejercicio 4
Escribe el cuento de un punto de vista diferente:
En la forma de "ellos":

_____

_____

_____

_____

_____

_____

_____

_____

_____

_____

_____

_____

_____

_____

Ejercicio 5
Contesta las preguntas personales.

1. ¿Que le dices a un perro que quiere competir en los Juegos Olímpicos?

2. ¿Quién puede correr más rápido...un perro, un elefante, o un profesor de español?

   Explica.

3. ¿Te gusta hacer muchos ejercicios muy tarde en la noche en el parque? ¿Por qué?

4. Si quieres subir de peso en sólo veinte minutos, ¿qué es lo que debes hacer?

5. ¿Puedes patinar mejor que un elefante? Explica.

Ejercicio 6
Escribe el cuento que la clase invente.

_____

_____

_____

_____

_____

_____

_____

_____

_____

_____

_____

_____

_____

_____

_____

_____

_____

_____

_____

_____

_____

_____

_____

_____

Ejercicio 7
Invéntale un final nuevo al cuento original.

_____

_____

_____

_____

_____

_____

_____

_____

_____

_____

_____

_____

Ejercicio 8
Escucha un cuento, dibújalo, y repítelo.

1.

a	b	c	d

2.

a	b	c	d

Versión A

Versión B

Ejercicio 9

Mira el primer y el último dibujo de este cuento nuevo, y completa el cuento con unos dibujos originales. Usa por lo mínimo 6 palabras del vocabulario de este capítulo.

Ejercicio 10

Escribe el cuento que acabas de dibujar arriba.

_____

_____

_____

_____

_____

_____

_____

_____

_____

_____

Ejercicio 11

Mira el primer y el último dibujo de este cuento nuevo, y completa el cuento con unos dibujos originales. Usa por lo mínimo 6 palabras del vocabulario de este capítulo.

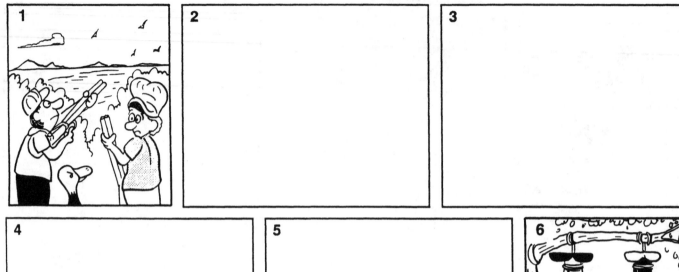

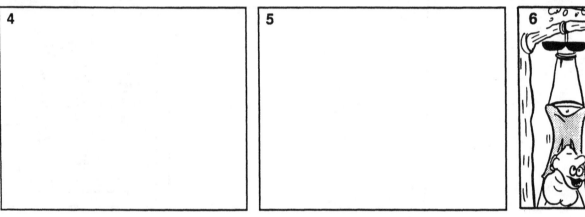

Ejercicio 12

Escribe el cuento que acabas de dibujar arriba.

_____

_____

_____

_____

_____

_____

_____

_____

_____

_____

Capítulo 5
El Carro De La Familia

Vocabulario

Ejercicio 1
Usa el vocabulario para describir cada dibujo con una frase completa.

a) la heladería	b) la ferretería	c) la librería	d) el taller de mecánico

1. a) _____

    b) _____

    c) _____

    d) _____

a) entrar en el almacén	b) los vestidos elegantes	c) hacer cola los boletos	d) romperse

2. a) _____

    b) _____

    c) _____

    d) _____

a) bajarse de	b) comprar pan	c) la grúa llevar	d) volver a pie

3. a) _____

    b) _____

    c) _____

    d) _____

a) manejar	b) pincharsele la llanta	c) el camión chocar con	d) pelearse

4. a) _____

    b) _____

    c) _____

    d) _____

El Carro De La Familia

El Carro De La Familia

El sábado pasado, toda la familia quería compartir el uso del coche pequeño. Cada uno podía usar el coche por sólo 45 minutos. El papá quería hacer un mandado a la ferretería. La mamá necesitaba usar el coche para ir a la panadería. La hija deseaba comprar una blusa y falda nueva. Y el hijo tenía que comprar unos boletos porque tenía ganas de ir al concierto del grupo nuevo de rock.

Cuando el papá iba a la ferretería, se le pinchó una llanta. La grúa lo llevó al garaje, y el mecánico arregló la llanta. Él estaba muy enojado porque se le acabó el tiempo y nunca llegó a la ferretería.

La mamá iba a la panadería cuando se le calentó demasiado el motor, y ella tuvo que parar el coche. Pero por suerte estaba enfrente de una librería que tenía una venta de sus libros favoritos. Mientras buscaba sus novelas preferidas, el motor se enfrió. Pero ya no tenía tiempo para ir a la panadería. Así que volvió a casa.

Mientras la hija iba a hacer sus compras, se le acabó la gasolina, pero por suerte vio a sus amigas en una heladería. Después de comer un helado y platicar con sus amigas, la hija llamó a la gasolinera, y un mecánico vino y le echó más gasolina al carro.

Ahora le tocaba al hijo usar el carro. Él se subió al coche y arrancó el motor. Mientras manejaba volado, vio a una chica muy guapa caminando en la acera. Dejó de mirar la calle parar mirar bien a la muchacha, y se salió de la calle y chocó con un árbol. Cuando el policía llegó, el hijo estaba muy preocupado. Se le ocurrió vender el carro. Después de que el policía le dio una multa, el hijo le vendió el carro a un hombre que pasaba por la calle.

Cuando regresó a su casa a pie, el hijo le contó a su familia que había vendido el carro por un precio muy bueno. Todos se alegraron al escuchar la noticia porque ya sabían que la vida era menos complicada sin carro.

Ejercicio 2
Completa las frases.

1. Toda la familia quería
   _____.

2. Cada persona podía usar el carro por sólo una hora porque
   _____.

3. Se le pinchó la llanta cuando el papá
   _____.

4. La mamá tenía suerte porque
   _____.

5. Se le acabó la gasolina porque
   _____.

6. Mientras iba a comprar los boletos, el hijo
   _____.

7. El hijo estaba preocupado porque
   _____.

8. El hijo quería vender el coche porque
   _____.

9. El policía le dio una multa al hijo porque
   _____.

10. La familia tenía muchos problemas con el carro porque
    _____.

Ejercicio 3
Contesta las preguntas en tus propias palabras.

1. ¿Dónde compraron el carro?

2. Describe el interior del carro.

3. ¿Cómo se llamaba el grupo de rock?

4. ¿Cuánto dinero le pagó al hombre de la grúa?

5. ¿Cuánto tiempo esperó el papá en el garaje?

6. ¿Cómo se llamaban las novelas?

7. ¿De qué platicaban sus amigas en la heladería?

8. ¿Por que tuvo que esperar hasta el final el hijo para usar el coche?

9. ¿Por qué compró el hombre un carro tan malo?

10. ¿Qué iba a hacer la familia con el dinero del carro que vendió el hijo?

Ejercicio 4
Escribe el cuento de un punto de vista diferente:
En la forma de "ellas":

_____

_____

_____

_____

_____

_____

_____

_____

_____

_____

_____

_____

_____

_____

_____

Ejercicio 5
Contesta las preguntas personales.

1. ¿Es necesario tener un carro cuando estás en el desierto sin agua? ¿Por qué?

2. ¿Qué haces cuando se te acaba la gasolina en medio de una cita?

3. Cuando manejas, ¿miras a las personas en traje de baño que andan en la acera? ¿Por qué?

4. ¿Te gusta pitarles a los elefantes cuando manejas? ¿Por qué?

5. Si se te calienta el motor del carro cuando estás en una cita, ¿qué haces?

Ejercicio 6
Escribe el cuento que la clase invente.

_____

_____

_____

_____

_____

_____

_____

_____

_____

_____

_____

_____

_____

_____

_____

_____

_____

_____

_____

_____

_____

_____

Ejercicio 7
Invéntale un final nuevo al cuento original.

_____

_____

_____

_____

_____

_____

_____

_____

_____

_____

_____

_____

Ejercicio 8
Escucha un cuento, dibújalo, y repítelo.

1.

a	b	c	d

2.

a	b	c	d

Versión A

Versión B

Ejercicio 9

Mira el primer y el último dibujo de este cuento nuevo, y completa el cuento con unos dibujos originales. Usa por lo mínimo 6 palabras del vocabulario de este capítulo.

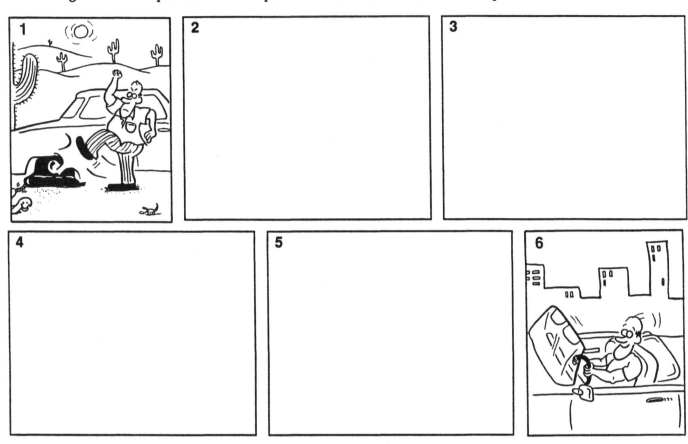

Ejercicio 10

Escribe el cuento que acabas de dibujar arriba.

_____

_____

_____

_____

_____

_____

_____

_____

_____

_____

Ejercicio 11

Mira el primer y el último dibujo de este cuento nuevo, y completa el cuento con unos dibujos originales. Usa por lo mínimo 6 palabras del vocabulario de este capítulo.

Ejercicio 12

Escribe el cuento que acabas de dibujar arriba.

_____

_____

_____

_____

_____

_____

_____

_____

_____

Los Dos Esposos

Vocabulario

Ejercicio 1
Usa el vocabulario para describir cada dibujo con una frase completa.

a) despertarse levantarse	b) lavarse la cara el jabón	c) afeitarse	d) ponerse desodorante

1. a) _____
   b) _____
   c) _____
   d) _____

a) preparar el desayuno	b) poner la mesa	c) desayunar	d) lavar los platos

2. a) _____
   b) _____
   c) _____
   d) _____

a) llenar la tina	b) bañar al niño	c) ponerle las pijamas	d) recoger los juguetes

3. a) _____
   b) _____
   c) _____
   d) _____

a) barrer el piso la escoba	b) planchar	c) sacar la basura soñar con	d) dejar la basura salir

4. a) _____
   b) _____
   c) _____
   d) _____

Los Dos Esposos

Los Dos Esposos

Jorge era un hombre pequeño, flaco, y calvo. Jorge vivía en el campo. Él trabajaba mucho en el campo por el día, y por la noche tenía que barrer el piso, pelar las papas, preparar la comida, lavar los platos, planchar la ropa y mucho más. Jorge estaba muy cansado, y se sentía muy sólo. Quería casarse con una mujer perfecta. Él sabía que su mujer perfecta iba a hacer todos los quehaceres de la casa.

Jorge escribió una carta a "Una Cita con el Amor" que era un servicio para encontrar el esposo o la esposa perfecta. En la carta, describió qué tipo de esposa quería tener. Sólo quería una mujer fuerte para trabajar en casa. Diez días después de mandar la carta, Jorge recibió una llamada telefónica de una mujer que se llamaba Olga. Olga quería concocerlo. Decidieron encontrarse en un restaurante romántico de la ciudad.

Jorge se bañó, se afeitó, se puso desodorante, y se vistió en su mejor ropa. Fue al restaurante un poco temprano y se sentó para esperar a Olga. Jorge vio que ella era muy grande y muscular, pero no le importaba eso. Ella tenía pelo rizado y una cicatriz en la frente. Pronto se enamoraron... era amor a primera vista. Decidieron casarse esa misma noche.

Los primeros dos meses, todo iba bien; Jorge trabajaba en el campo, y Olga llegó a ser la presidente de IBM. Olga hacía los quehaceres por el día y trabajaba por la noche en IBM. Pero Olga empezó a aburrirse en casa y quería mirar la tele. Empezó a mirar la tele todo el día y dejó de trabajar en casa. A Jorge no le gustaba lo que pasaba en la casa. Jorge se quejó de este problema nuevo con Olga. Pero a Olga no le gustaba escuchar las quejas de Jorge. Así que Olga le gritó, —¡Recuerda que yo soy mucho más grande y fuerte que tú! Si quieres tener una casa limpia, ¡tú puedes hacerlo todo!

Jorge se puso nervioso y empezó a hacer los trabajos de la casa.

Después de tres semanas, Jorge tuvo una idea. Empezó a levantar pesas en secreto. Todos los días, levantaba muchas pesas, y un día fue a Olga y le dijo, —No voy a hacer más trabajo en casa. ¡Mira! Tengo músculos grandes también.

Olga se asustó al mirar los músculos tan grandes de su esposo. Pero Olga era lista, y tuvo una idea, y se la explicó a Jorge.

—Es verdad que tienes músculos muy grandes, pero yo también tengo músculos muy grandes. Creo que los dos juntos debemos compartir los quehaceres. Tú puedes planchar y barrer, y yo puedo tender la cama y lavar los platos.

Jorge pensó que era buena idea, y los dos vivieron felices para siempre.

Ejercicio 2
Completa las frases.

1. Jorge era un hombre pequeño porque

   _____.

2. Jorge se dio cuenta de que

   _____.

3. Jorge escribió una carta porque

   _____.

4. Olga llamó a Jorge porque

   _____.

5. Para la cita Jorge

   _____.

6. Los dos se casaron tan rápido porque

   _____.

7. No había problemas los primeros meses porque

   _____.

8. Cuando vio que su esposa no trabajaba en casa, Jorge

   _____.

9. Olga quería mirar la tele porque

   _____.

10. Los dos vivieron felices para siempre porque

    _____.

Ejercicio 3
Contesta las preguntas en tus propias palabras.

1. ¿Por qué vivía en el campo?

2. Describe la mujer perfecta de Jorge.

3. ¿Por qué escribió a "Una Cita con el Amor"?

4. Describe la mejor ropa de Jorge.

5. ¿Por qué tenía tantos músculos Olga?

6. ¿Cómo recibió la cicatriz Olga?

7. ¿Cómo llegó a ser Olga la presidente de IBM?

8. ¿Por qué trabajaba por la noche Olga?

9. ¿Por qué compartieron los quehaceres?

10. ¿Quién era más inteligente...Olga o Jorge? ¿Por qué?

Ejercicio 4

Escribe el cuento de un punto de vista diferente:
En la forma de "yo":

_____

_____

_____

_____

_____

_____

_____

_____

_____

_____

_____

_____

_____

_____

_____

_____

Ejercicio 5

Contesta las preguntas personales.

1. Describe tu esposo(a) perfecto(a)

2. ¿Te gusta tener músculos? ¿Por qué?

3. ¿Es necesario afeitarte? ¿Por qué?

4. Describe una actividad que es más interesante que sacar la basura.

5. ¿Cuánto tiempo necesitas para enamorarte de una persona?

Ejercicio 6
Escribe el cuento que la clase invente.

_____

_____

_____

_____

_____

_____

_____

_____

_____

_____

_____

_____

_____

_____

_____

_____

_____

_____

_____

_____

_____

_____

_____

_____

Ejercicio 7
Invéntale un final nuevo al cuento original.

_____

_____

_____

_____

_____

_____

_____

_____

_____

_____

_____

Ejercicio 8
Escucha un cuento, dibújalo, y repítelo.

1.

a	b	c	d

2.

a	b	c	d

Versión A

Versión B

Ejercicio 9

Mira el primer y el último dibujo de este cuento nuevo, y completa el cuento con unos dibujos originales. Usa por lo mínimo 6 palabras del vocabulario de este capítulo.

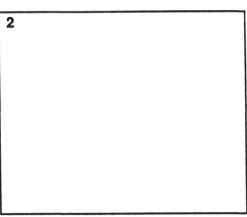

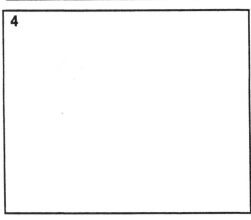
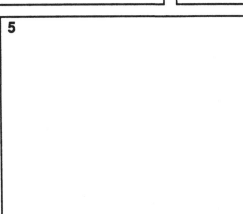

Ejercicio 10

Escribe el cuento que acabas de dibujar arriba.

_____

_____

_____

_____

_____

_____

_____

_____

_____

_____

Ejercicio 11

Mira el primer y el último dibujo de este cuento nuevo, y completa el cuento con unos dibujos originales. Usa por lo mínimo 6 palabras del vocabulario de este capítulo.

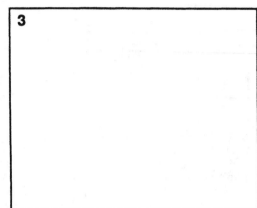

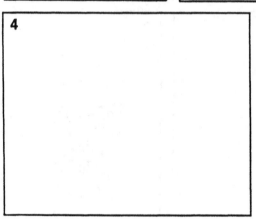

Ejercicio 12

Escribe el cuento que acabas de dibujar arriba.

_____

_____

_____

_____

_____

_____

_____

_____

_____

Capítulo 7
El Robo

Vocabulario

Ejercicio 1
Usa el vocabulario para describir cada dibujo con una frase completa.

a) los edificios el centro	b) el estacionamiento estacionar	c) la parada la acera esperar	d) el semáforo el camión

1. a) _____

   b) _____

   c) _____

   d) _____

a) una casa de 2 pisos	b) la escalera el sótono	c) el techo clavar	d) caerse

2. a) _____

   b) _____

   c) _____

   d) _____

a) el banco la esquina	b) el cajero	c) hacer cola	d) disparar robar

3. a) _____

   b) _____

   c) _____

   d) _____

a) la llanta pinchada nevar	b) la linterna observar	c) acercarse a	d) pillar al ladrón

4. a) _____

   b) _____

   c) _____

   d) _____

El Robo

El Robo

Había una mujer que necesitaba mucho dinero para pagar las cuentas de la luz, el agua, la renta ,etc. Decidió robar un banco. Esta idea le pareció la manera más rápida para conseguir el dinero.

El día siguiente, entró en el banco, fue al cajero, y le exigió mucho dinero. Pero el cajero no le hizo caso. La mujer le gritó, —¡Oiga Ud.! ¡Esto es un robo!

El cajero le respondió que no podía encontrar el dinero. Entonces la mujer se puso muy enojada y sacó una pistola grande y le gritó, —¡Déme el dinero ahora mismo!

La mujer le dijo al cajero que no quería oír más tonterías, y que quería el dinero inmediatamente. Empezó a sentirse nerviosa porque sabía que la policía iba a llegar pronto. Se dio cuenta de que el cajero no le daba el dinero, sino que movía la cabeza en desacuerdo. La mujer se puso muy preocupada y emocionada y empezó a rogarle por el dinero... —Por favor, Sr. Cajero, deme el dinero porque lo necesito para pagar la renta.

El cajero empezó a quejarse, y le explicó a la mujer, —Mira, estás haciendo todo mal. En un robo ideal, todos los clientes se ponen contra la pared, suben las manos, y miran para arriba. Luego, se acuestan en el piso. Y entonces tú tienes que ... — y el cajero le siguió explicando todos los detalles de un buen robo.

Mientras el cajero hablaba, la mujer olvidó completamente por qué estaba en el banco porque se dio cuenta de que el cajero era muy guapo, y instantáneamente se enamoró de él. Y al mismo tiempo el cajero se enamoró de la mujer. De repente entraron dos policias, pero no hubo pelea porque la mujer se les entregó.

La policía la llevó a la carcel donde tenía que pasar 2 años. Mientras estaba en la carcel, el cajero le llevaba flores y chocolate todos los días. Después de los 2 años, la mujer y el cajero se casaron y tuvieron muchos hijos y vivieron felices para siempre.

Ejercicio 2
Completa las frases.

1. La mujer necesitaba dinero porque

   _____.

2. Ella fue al banco porque

   _____.

3. Se puso enojada porque

   _____.

4. El cajero no quería

   _____.

5. El cajero empezó a explicarle que

   _____.

6. Los clientes tenían que

   _____.

7. Mientras él le explicaba cómo era un buen robo, la policía

   _____.

8. La mujer se dio cuenta de que

   _____.

9. La mujer no le dio problemas a la policía porque

   _____.

10. Cuando salió la mujer de la carcel,

   _____.

Ejercicio 3
Contesta las preguntas en tus propias palabras.

1. ¿Por qué no tenía nombre la mujer?

2. ¿Por qué no tenía dinero la mujer?

3. ¿Qué más iba a comprar con el dinero del robo?

4. ¿Cuánto dinero pensaba conseguir en el robo?

5. ¿Quién llamó a la policía?

6. ¿Por qué sabía el cajero mucho de robos?

7. Explica cómo se hace un robo muy bueno.

8. ¿Qué dijo la señora cuando se entregó?

9. ¿Qué hacía la mujer en la carcel?

10. ¿Por qué vivieron felices para siempre?

Ejercicio 4
Escribe el cuento de un punto de vista diferente:
En la forma de "nosotros":

_____

_____

_____

_____

_____

_____

_____

_____

_____

_____

_____

_____

_____

_____

Ejercicio 5
Contesta las preguntas personales.

1. ¿Qué haces cuando necesitas dinero muy tarde en la noche?

2. ¿Cuánto dinero tienes ahora debajo de tu cama?

3. ¿Qué haces si trabajas en un banco y un ladrón entra con una pistola?

4. Describe el cajero perfecto.

5. ¿Quieres trabajar en un banco donde hay muchos robos? ¿Por qué?

Ejercicio 6
Escribe el cuento que la clase invente.

_____

_____

_____

_____

_____

_____

_____

_____

_____

_____

_____

_____

_____

_____

_____

_____

_____

_____

_____

_____

_____

_____

Ejercicio 7
Invéntale un final nuevo al cuento original.

_____

_____

_____

_____

_____

_____

_____

_____

_____

_____

_____

_____

Ejercicio 8
Escucha un cuento, dibújalo, y repítelo.

1.

a	b	c	d

2.

a	b	c	d

Versión A

Versión B

Ejercicio 9

Mira el primer y el último dibujo de este cuento nuevo, y completa el cuento con unos dibujos originales. Usa por lo mínimo 6 palabras del vocabulario de este capítulo.

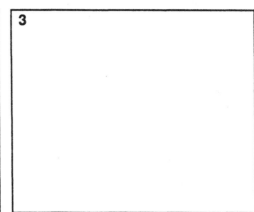

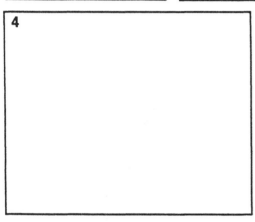

Ejercicio 10

Escribe el cuento que acabas de dibujar arriba.

_____

_____

_____

_____

_____

_____

_____

_____

_____

_____

Ejercicio 11

Mira el primer y el último dibujo de este cuento nuevo, y completa el cuento con unos dibujos originales. Usa por lo mínimo 6 palabras del vocabulario de este capítulo.

Ejercicio 12

Escribe el cuento que acabas de dibujar arriba.

_____

_____

_____

_____

_____

_____

_____

_____

_____

Capítulo 8
La Excursión

Vocabulario

Ejercicio 1
Usa el vocabulario para describir cada dibujo con una frase completa.

a) subirse al bote de remos	b) pasear en bote	c) pescar	d) caerse

1. a) _____

   b) _____

   c) _____

   d) _____

a) el lago una canoa una pajera	b) marearse	c) perder el equilibrio	d) dejarlo

2. a) _____

   b) _____

   c) _____

   d) _____

a) bucear un pez	b) ver un tiburón	c) asustarse	d) descansar tranquilo

3. a) _____

   b) _____

   c) _____

   d) _____

a) acampar	b) un oso acercarse	c) trepar tener miedo sentarse cerca de	d) quemarse la barbacoa

4. a) _____

   b) _____

   c) _____

   d) _____

La Excursión

La Excursión

En 1976 nació una niña preciosa. Sus padres estaban muy orgullosos de ella; era su única hija. Le dieron el nombre de "Beatriz". Todos los veranos sus padres llevaban a Beatriz a la playa donde aquilaban una casita a las orillas del mar.

Cada día, el padre de Beatriz se paseaba en barco y pescaba. Su madre se quedaba en la playa y tomaba el sol porque siempre se mareaba si iba en barco. A la edad de 4 años, Beatriz aprendió a bucear. Mientras su padre pescaba y su madre tomaba el sol, Beatriz exploraba el mundo submarino de los peces. Así pasaban muchos años juntos en la playa. Se divertían mucho. Era la familia ideal.

Cuando Beatriz cumplió los 15 años, ella decidió que ya quería salir de excursiones sóla con sus amigas; sin sus padres. Así que un día fue a preguntarles si era posible dejarla ir de excursión a las montañas con sus amigas. Como sus padres no eran muy estrictos, le permitieron ir.

El día siguiente, Beatriz se encontró con sus amigas que se llamaban Marta y Alicia. Las tres fueron a las montañas para acampar por el fin de semana.

El primer día, Beatríz dijo, —Vamos a escalar aquel pico muy alto.

Mientras escalaban, empezó a llover. Las tres muchachas se bajaron de la montaña y buscaron palos para hacer una barbacoa.

Como estaban muy mojados todos los palos, las chicas no pudieron encender el fuego. Así que Beatriz decidió echar gasolina encima de los palos. No se dio cuenta de que les había echado 4 litros de gasolina, y encendió un fósforo. Hubo una explosión grandísima, y Beatriz gritó, —¡No pensaba tener una barbacoa tan grande como eso!

Pero así ocurrió; Beatriz encendió algunos árboles por accidente, y pronto había un gran incendio en el bosque.

Las tres amigas tenían mucho miedo cuando vieron que se quemaban todos los árboles, y empezaron a correr. Mientras corrían, vieron un helicóptero que se acercaba. Beatriz vio que el piloto era el oso famoso "Smokey". El helicóptero aterrizó y "Smokey" se bajó con una manguera muy grande y apagó todo el fuego. Beatriz corrió a Smokey y le dio una abrazo grande. Ella le dijo, —Muchísimas gracias.

Smokey le respondió, —Es mejor que pongas gasolina en tu carro y no en tu barbacoa.

Ejercicio 2
Completa las frases.

1. Beatriz era una niña preciosa porque

   _____.

2. La familia iba a la playa porque

   _____.

3. Cuando Beatriz tenía 4 años, ella

   _____.

4. La madre no se paseaba en barco porque

   _____.

5. Cuando tenía 15 años, Beatriz

   _____.

6. Mientras subían la montaña las tres amigas,

   _____.

7. Ellas buscaron palos porque

   _____.

8. Hubo una explosión porque

   _____.

9. Beatriz vio que un helicóptero

   _____.

10. Beatriz le dio un abrazo a "Smokey" porque

   _____.

Ejercicio 3
Contesta las preguntas en tus propias palabras.

1. ¿Por qué tuvieron sólo una hija los padres de Beatriz?

2. ¿Por qué estaban orgullosos de ella?

3. Describe la casita que alquilaban.

4. ¿Por qué no eran muy estrictos sus padres?

5. ¿Qué veía Beatriz cuando buceaba?

6. ¿Dónde escalaban el pico?

7. ¿Cuánto tiempo escalaban las tres muchachas?

8. ¿Por qué volaba "Smokey" en un helicóptero?

9. ¿Dónde aprendió a manejar un helicóptero "Smokey"?

10. ¿Por qué apagó el incendio "Smokey"?

Ejercicio 4

Escribe el cuento de un punto de vista diferente:
En la forma de "tú":

_____

_____

_____

_____

_____

_____

_____

_____

_____

_____

_____

_____

_____

_____

Ejercicio 5

Contesta las preguntas personales.

1. Cuando buceas, ¿es posible hablar con los peces? Explica.

2. ¿Te gusta acampar en las montañas de África con tu perro? ¿Por qué?

3. ¿Te qustaría conducir un helicóptero cada día a la escuela? ¿Por qué?

4. ¿A quién llamas cuando tú prendes un incendio en el bosque? ¿Por qué?

5. Cuando buceas, ¿a quién prefieres encontrarte...a 'Jaws' o a 'Flipper' ? ¿Por qué?

Ejercicio 6
Escribe el cuento que la clase invente.

_____

_____

_____

_____

_____

_____

_____

_____

_____

_____

_____

_____

_____

_____

_____

_____

_____

_____

_____

_____

_____

_____

_____

Ejercicio 7
Invéntale un final nuevo al cuento original.

_____

_____

_____

_____

_____

_____

_____

_____

_____

_____

_____

Ejercicio 8
Escucha un cuento, dibújalo, y repítelo.

1.

a	b	c	d

2.

a	b	c	d

Versión A

Versión B

Ejercicio 9

Mira el primer y el último dibujo de este cuento nuevo, y completa el cuento con unos dibujos originales. Usa por lo mínimo 6 palabras del vocabulario de este capítulo.

Ejercicio 10

Escribe el cuento que acabas de dibujar arriba.

_____

_____

_____

_____

_____

_____

_____

_____

_____

_____

Ejercicio 11

Mira el primer y el último dibujo de este cuento nuevo, y completa el cuento con unos dibujos originales. Usa por lo mínimo 6 palabras del vocabulario de este capítulo.

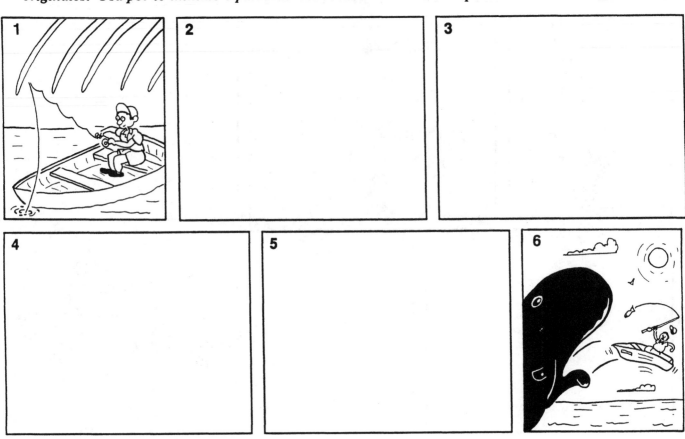

Ejercicio 12

Escribe el cuento que acabas de dibujar arriba.

_____

_____

_____

_____

_____

_____

_____

_____

_____

_____

Capítulo 9
Las Citas Con La Doctora.

Vocabulario

1.

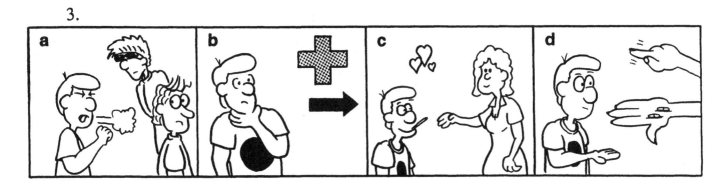

2.

3.

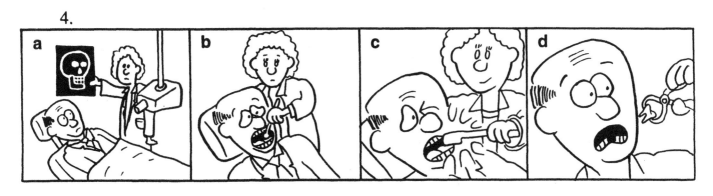

4.

Ejercicio 1

Usa el vocabulario para describir cada dibujo con una frase completa.

a) sonarse la nariz	b) estornudar	c) resbalarse	d) doler la cabeza

1. a) _____

    b) _____

    c) _____

    d) _____

a) un cocinero cortar un cuchillo	b) cortarse	c) la ambulancia llevar	d) una venda el dedo pulgar

2. a) _____

    b) _____

    c) _____

    d) _____

a) estornudar estar resfriado	b) dolerle la garganta	c) la enfermera tomar la temperatura	d) unas pastillas

3. a) _____

    b) _____

    c) _____

    d) _____

a) la dentista el paciente tomar una radiografía	b) examinarle	c) dolerle la muela	d) sacarle la muela

4. a) _____

    b) _____

    c) _____

    d) _____

Las Citas Con La Doctora.

Las Citas Con La Doctora.

Había un hombre que se llamaba Raúl. Tenía 20 años y estudiaba en la universidad. Todos sus amigos estaban de vacaciones en la playa. Pero él no podía ir porque se sentía muy enfermo. Pensaba que tenía un catarro fuerte o posiblemente la gripe, pues le dolía la garganta y no podía tragar bien. A veces tosía 3 o 4 minutos sin parar, y estaba seguro de que tenía una calentura.

Así que el 7 de mayo, fue al consultorio de una doctora que su padre le recomendó. Llegó al consultorio de la Dra. Sánchez, entró, y se sentó en la mesa. Tuvo que quitarse la camisa porque la Dra. quería examinarlo para ver si tenía pulmonía o bronquitis. También le tomó la temperatura para ver si tenía fiebre.

La Dra. no encontró nada malo, pero decidió darle a Raúl una inyección de antibióticos. Después le dio también unas pastillas para su garganta. Le dijo que estaría mejor dentro de unos 2 o 3 días.

En una semana, no se sentía mejor sino peor. Seguía tosiendo y le dolían todos los músculos.

El 14 de mayo, decidió regresar a la Dra. Sánchez. Esta vez, la Dra. le examinó la garganta y tomó una radiografía de sus pulmones. Pues, no encontró nada. Pero la Dra. Sánchez no quería darle la impresión a Raúl de que ella no sabía nada. Así que le puso una venda por toda la cabeza, y le enyesó la pierna. También le prestó unas muletas.

Cuando salió del consultorio, Raúl pensaba que no eran necesarios la venda y el yeso, pero quería creer que la Dra. Sánchez lo sabía todo. Dentro de una semana se sentía peor. Tosía igual y le dolía mucho la garganta. Le molestaban la venda y el yeso, así que se quitó las dos cosas.

El 21 de mayo, regresó al consulturio por tercera vez. Mientras esperaba a la Dra., Raúl vio que ella preparaba una aguja grandota para una inyección que seguramente le iba a poner. En ese momento Raúl se dio cuenta que esta Dra. le maltrataba, y se puso muy enojado. Cuando ella se le acercaba con la aguja, Raúl se la quitó y la tiró fuerte. La aguja voló y le pegó a la pared y se quedó allí. Raúl empezó a tirar todos los instrumentos de la Dra. Sánchez por dondequiera. Ella se puso muy preocupada y llamó a la policía.

El 28 de mayo, Raúl se encontró mucho mejor. Ya no tosía ni le dolía nada. De hecho gozaba de muy buena salud. Su único problema era que ahora tenía que quedarse en la carcel por medio año. Pero no le importaba porque se sentía bien ahora.

Ejercicio 2
Completa las frases.

1. Raúl no podía ir a la playa porque
    _____.

2. Raúl no podía tragar porque
    _____.

3. La Dra. examinó a Raúl porque
    _____.

4. Raúl esperaba sentirse mejor porque
    _____.

5. Raúl no se sentía bien porque
    _____.

6. La Dra. le puso un yeso y una venda porque
    _____.

7. Cuando Raúl vio la aguja grande, él
    _____.

8. La Dra. estaba preocupada porque
    _____.

9. La Dra. no podía ayudar a Raúl porque
    _____.

10. Raúl estaba en la carcel porque
    _____.

Ejercicio 3
Contesta las preguntas en tus propias palabras.

1. ¿Cómo se llamaba la universidad donde estudiaba?

2. ¿Cómo se enfermó?

3. ¿Dónde estudió la doctora Sánchez?

4. ¿Qué sabía el padre de la doctora?

5. ¿Cuáles drogas le dio la Dra. a Raúl?

6. Además de visitar a la Dra., ¿qué más hacía para mejorarse?

7. ¿Dónde trabajaba la doctora?

8. ¿Cómo se quitó el yeso?

9. ¿Por qué llegó muy rápido la policía al consultorio?

10. ¿Qué hizo Raúl después de salir de la carcel?

Ejercicio 4
Escribe el cuento de un punto de vista diferente:
En la forma de "tú":

_____

_____

_____

_____

_____

_____

_____

_____

_____

_____

_____

_____

_____

_____

Ejercicio 5
Contesta las preguntas personales.

1. ¿Es bueno besar a alguien si te duele la garganta? ¿Por qué?

2. ¿Te quebraste la nariz alguna vez? ¿Cómo te pasó? ¿Te puso un yeso el médico?

3. ¿Qué escribes en los yesos de tus amigos a quienes tú odias?

4. ¿Qué haces cuando tu novio(a) estornuda en tu cara?

5. ¿Qué hace un(a) doctor(a) para ganar tanto dinero?

Ejercicio 6
Escribe el cuento que la clase invente.

_____

_____

_____

_____

_____

_____

_____

_____

_____

_____

_____

_____

_____

_____

_____

_____

_____

_____

_____

_____

_____

_____

_____

_____

Ejercicio 7
Invéntale un final nuevo al cuento original.

_____

_____

_____

_____

_____

_____

_____

_____

_____

_____

_____

_____

Ejercicio 8
Escucha un cuento, dibújalo, y repítelo.

1.

a	b	c	d

2.

a	b	c	d

Versión A

Versión B

Ejercicio 9

Mira el primer y el último dibujo de este cuento nuevo, y completa el cuento con unos dibujos originales. Usa por lo mínimo 6 palabras del vocabulario de este capítulo.

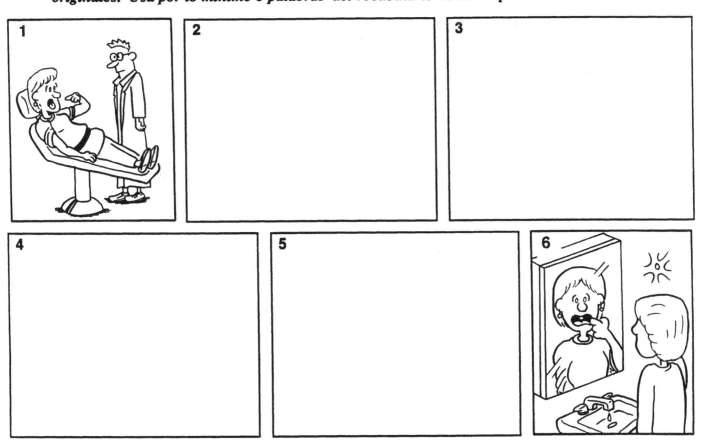

Ejercicio 10

Escribe el cuento que acabas de dibujar arriba.

_____

_____

_____

_____

_____

_____

_____

_____

_____

_____

Ejercicio 11

Mira el primer y el último dibujo de este cuento nuevo, y completa el cuento con unos dibujos originales. Usa por lo mínimo 6 palabras del vocabulario de este capítulo.

Ejercicio 12

Escribe el cuento que acabas de dibujar arriba.

_____

_____

_____

_____

_____

_____

_____

_____

_____

Capítulo 10
El Hermano Mayor

Vocabulario

Ejercicio 1
Usa el vocabulario para describir cada dibujo con una frase completa.

a) las pecas	b) delgada	c) calvo	d) una barba
el pelo rizado	el pelo liso	el bigote	
		una cicatriz	

1. a) _____

    b) _____

    c) _____

    d) _____

a) un hombre	b) mostrar	c) cortar	d) sudar
muscular	el músculo	el hacha	

2. a) _____

    b) _____

    c) _____

    d) _____

a) el árbol	b) el nido de abejas	c) picarle la nariz	d) una picadura

3. a) _____

    b) _____

    c) _____

    d) _____

a) hacerle una	b) sentarse	c) gritarle	d) poner unas piedras
broma mala			la cama
una tachuela			

4. a) _____

    b) _____

    c) _____

    d) _____

El Hermano Mayor

El Hermano Mayor

Había tres hermanos que vivían en una casa pequeña. La menor era Isabel y tenía 8 años. Ella era pelirroja y tenía muchas pecas. Marta iba a cumplir los 12 años el próximo mes. Ella era morena con el pelo muy liso. El hermano mayor era Antonio. Tenía 18 años, pero ¡ya era calvo!... pobrecito. Sin embargo tenía un bigote grueso del cuál estaba muy orgulloso. También tenía una cicatriz muy grande en la frente.

Isabel y Marta se llevaban muy bien, y no se peleaban nunca. Pero Antonio molestaba tanto a sus hermanas y era muy cruel con ellas porque él se creía superior. Muchas veces decía que Isabel era fea y que Marta era floja. Marta no le hacía caso, pero Isabel siempre lloraba. Antonio nunca dejaba de molestarlas, y ellas no sabían qué hacer.

Un día, Antonio cortaba un árbol que no le gustaba. Estaba trabajando muy duro con el hacha, y hacía mucho calor. Antonio sudaba tanto que no se daba cuenta de que había un nido grande de abejas en el árbol. Claro que a las abejas que no les gustaba lo que Antonio hacía, y empezaron a volar por todas partes. Antonio, sin embargo, no se daba cuenta de nada porque estaba sudando y trabajando mucho.

Las 2 hermanas oyeron el ruido del hacha, y vieron a Antonio cubierto de abejas. Ellas se asustaron, y le gritaron, —¡Estás rodeado de abejas! ¡Corre!

Pero Antonio sólo se rió porque pensaba que sus hermanas sólo querían hacerle una broma, y siguió trabajando.

En ese momento, todas las 143 abejas le picaron a la vez. Antonio trepó al árbol para tumbar al nido, pero el árbol era tan flaco como una flauta, y el árbol se cayó. Antonio se levantó y corrió porque las abejas seguían picándole. Luego tropezó y se cayó en un montón de hormigas rojas y hambrientas. Tuvo aún peor suerte porque le picaron todas la hormigas.

Se le hincharon los ojos hasta el punto de que no veía nada. Se volvió loco tratando de escaparse de las hormigas y las abejas. Estaba tan rendido que se desmayó, y se cayó hacia atrás en el lago. ¡Hasta que por fin lo dejaron en paz los insectos, aunque ahora estaba cubierto de picaduras por todas partes!

Ejercicio 2
Completa las frases.

1. Antonio era un muchacho que
   _____.

2. Marta era muy inteligente porque
   _____.

3. Isabel y Marta se llevaban bien porque
   _____.

4. Antonio usaba un hacha porque
   _____.

5. Antonio no sabía que
   _____.

6. Sus hermanas querían explicarle a Antonio que
   _____.

7. Antonio pensaba que
   _____.

8. Antonio tenía mala suerte porque
   _____.

9. Antonio trepó al árbol porque
   _____.

10. Las hormigas le picaron porque
    _____.

Ejercicio 3
Contesta las preguntas en tus propias palabras.

1. ¿Dónde se ubicaba la casa?

2. ¿En cuál fecha iba a cumplir años?

3. ¿Por qué era calvo Antonio?

4. ¿Por qué se creía superior Antonio?

5. ¿Qué más hacía Antonio para molestar a sus hermanas?

6. ¿Por qué no le gustaba el árbol a Antonio?

7. ¿Dónde vivían las abejas antes del árbol?

8. ¿Por qué había sólo 143 abejas?

9. ¿Con qué tropezó Antonio?

10. ¿Cómo tuvo suerte por fin?

Ejercicio 4
Escribe el cuento de un punto de vista diferente:
En la forma de "Uds.":

_____

_____

_____

_____

_____

_____

_____

_____

_____

_____

_____

_____

_____

_____

Ejercicio 5
Contesta las preguntas personales.

1. ¿Prefieres tener pelo rizado o liso cuando quieres impresionar a tu novio(a)? ¿Por qué?

2. ¿Quieres tener un bigote para poder viajar sólo a Hong Kong? ¿Por qué?

3. ¿Te llevas bien con tu profesor(a) de español cuando te da una F en la clase? ¿Por qué?

4. ¿Te gusta hacerles bromas a tus amigos? ¿Qué tipo de broma?

5. ¿Qué haces cuando ves que una abeja vuela cerca de tu ombligo? ¿Por qué?

Ejercicio 6
Escribe el cuento que la clase invente.

Ejercicio 7
Invéntale un final nuevo al cuento original.

_____

_____

_____

_____

_____

_____

_____

_____

_____

_____

_____

Ejercicio 8
Escucha un cuento, dibújalo, y repítelo.

1.

a	b	c	d

2.

a	b	c	d

Versión A

Versión B

Ejercicio 9

Mira el primer y el último dibujo de este cuento nuevo, y completa el cuento con unos dibujos originales. Usa por lo mínimo 6 palabras del vocabulario de este capítulo.

Ejercicio 10

Escribe el cuento que acabas de dibujar arriba.

_____

_____

_____

_____

_____

_____

_____

_____

_____

_____

Ejercicio 11

Mira el primer y el último dibujo de este cuento nuevo, y completa el cuento con unos dibujos originales. Usa por lo mínimo 6 palabras del vocabulario de este capítulo.

Ejercicio 12

Escribe el cuento que acabas de dibujar arriba.

_____

_____

_____

_____

_____

_____

_____

_____

_____

_____

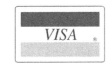

Introduction
by the Originator of TPR,
Dr. James J. Asher

Dear Colleague,

If you are new to TPR, start with a solid understanding by reading my book, **Learning Another Language Through Actions** and Ramiro Garcia's **Instructor's Notebook: How to apply TPR for best results**.

To ensure success, pretest a few lessons before you enter your classroom. Try the lessons out with your children, your friends or your neighbors. In doing this, you

(a) become convinced that TPR actually works,

(b) build self-confidence in the approach, and

(c) smooth out your delivery.

For Students of All Ages, including Adults

Use TPR for new vocabulary and grammar, to help your students immediately understand the target language in chunks rather than word-by-word. This instant success is absolutely thrilling for students. You will hear them say to each other, "Wow! I actually understand what the instructor is saying."

After a "silent period" of about three weeks listening to you and following your directions in the target language (without translation), your students will be ready to talk, read and write. In our books, Ramiro and I will guide you step-by-step along the way.

Be sure to look through our online catalog at **www.tpr-world.com**. It's loaded with activities that will keep your students excited day after day as they move towards fluency in the target language.

Best wishes for continued success,

James J. Asher

Students who drop out of school are not stupid.

They are smart enough to know that "school" is not meeting their needs. And you know what?
The kids are right: The traditional school does not work for 1/3 to 1/2 of our students.

From the San Jose Mercury News, April 10, 2009:
"Kids dropping out of San Jose schools in just one year may go on to commit 534 violent crimes and suffer 200 million in lost wages over their lifetimes... according to a new study released Thursday... Statewide, for every three students who graduated high school in 2006-7, one dropped out..."

Let's turn it around. Let's make school relevant for <u>all</u> our kids:

The Super School of the 21st Century
by James J. Asher, Ph.D.

Table of Contents

Discoveries by Ordinary People that Changed the World

by James J. Asher

News Flash!

Commentary by Albert Einstein

A fresh look at science, and technology in 25 exciting true stories such as:

- How two brothers, who own a bicycle shop in Ohio, build a bicycle that can fly.
- How penicillin is discovered when wind blows in some dirt from an open window.
- How an American student discovers the secret of DNA, and becomes the youngest person ever to win a Nobel Prize. His discovery transformed everyone's life in the 21st Century; yet amazingly, Harvard University tried to ban his personal story from publication.
- How a junior member of an Italian university discovers a simple equation that predicts the distance objects fall in space in seconds. A stunning discovery made even more

remarkable when all he had to work with was a crude measure of time: water dripping from a bottle.
- How a fifteen year old boy discovers patterns of dots that enable blind people to read and write.
- How an uneducated janitor in London discovers simple patterns of electricity to enable giant turbines to move millions of gallons of water.
- How a young Englishman read about the principle of falling objects in space, adds one small detail, and discovers the jewel of mathematics, calculus, to predict how planets move around the sun. When you see that tiny detail, you will say, "Wow! So that is what calculus is all about!"

Order#	Title
2	**Discoveries by Ordinary People that Changed the World**

New!

I just completed a 263 page memoir about growing up in the 1930s, 40s, and 50s. I think you will have so much fun reading it you will want to start your own memoir today.

Comments from readers:

…"I started reading the book in bed and could not put it down."

…"I want several copies as gifts for friends."

…"I did not want the book to end."

…"The characters were so real, I felt I could reach out and touch them."

…"I remember reading **Catcher in the Rye** as a kid. This coming of age book is even better."

…"This is going to be a blockbuster of a motion picture."

After you read *Growing Up in Norman Rockwell's America*, please send me your comments!

James J. Asher

tprworld@aol.com

Growing Up in Norman Rockwell's America

★ A MEMOIR ★

James J. Asher

Order#	Title	
5	**Growing Up in Norman Rockwell's America**	263 pages

Dear Colleague:

Language instructors often say to me, "I tried the TPR lessons in your book and my students responded with great enthusiasm, but what can the students do **at their seats**?"

Here are effective TPR activities that students can perform **at their seats**. Each student has a kit in full color, such as the interior of a kitchen. Then you say in the target language, "Put the man in front of the sink." With your kit displayed so that it is clearly visible to the students, you place the man in the kitchen of your kit and your students follow by performing the same action in their kits.

As items are internalized, you can gradually discontinue the modeling. Eventually, you will utter a direction and the students will quickly respond without being shown what to do.

Each figure in the **TPR Student Kits** will stick to any location on the playboard **without glue**. Just press and the figure is on. It can be peeled off instantly and placed in a different location over and over.

You can create fresh sentences that give students practice in understanding hundreds of useful vocabulary items and grammatical structures. Also, students quickly acquire "function" words such as **up, down, on, off, under, over, next to, in front of,** and **behind.**

To guide you step-by-step I have written ten complete lessons for each kit (giving you about 200 commands for each kit design), and those lessons are now available in your choice of **English, Spanish, French, German,** or **Dutch**. The kits can be used with **children or adults** who are learning **any language** including **ESL** and the **sign language of the deaf**.

About the TPR Teacher Kits

Use the **transparencies** with an overhead projector to flash a playboard on a large screen. Your students **listen** to you utter a direction in the target language, **watch** you perform the action on the large screen, and then follow by performing the same action in their **Student Kits.**

Best wishes for continued success,

James J. Asher

P.S. My sister and I recently tried one of the Student Kits with a native speaker of Arabic giving directions. We were both surprised at how much vocabulary and grammar we picked up in only a few minutes of play.

Try this with any language you would like to acquire from Turkish to Chinese to Hebrew. It is simple, fast-moving, and it works!

A Motivational Strategy for Language Learning

Produced by James J. Asher
DVD • Color • 25 minutes • Narrated in English

> The secret of a successful language program is to inspire students to continue year after year. This video will demonstrate how to motivate your students ages 17 to 60.

And I'm afraid of you

You will see that students are silent as they act in response to directions in Spanish starting with single words that expand within minutes into complex sentences. Notice the surprise on their faces as they realize they understand everything the instructor is saying in an alien language.

From understanding to speaking, reading, and writing

After several weeks, you will see that there comes a time when the students are ready to talk. This will happen spontaneously. They ask to reverse roles and give directions in Spanish to the instructor and classmates.

No, it's naturally blonde

Next, you will see students, working in pairs, creating skits that are more entertaining than any stand-up comedian. Watch carefully because now you will see students actually thinking in the target language. You will also see a graceful transition to speaking, reading, and writing.

Show this video to your students

Instructors worldwide in all languages use this video to prepare their students to participate in the exciting TPR experience.

A bonus

As a bonus, we will include a copy of the original research article published in the *Modern Language Journal* that documents the stunning achievement of the students you will see in the video.

You are a very good friend

A Motivational Strategy for Language Learning
(Order # 406-DVD)
www.tpr-world.com

reindeer kicked me

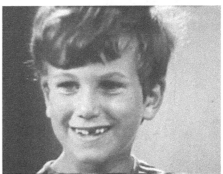

A powerful new tool for you, along with TPR and TPR Storytelling

Extra added attraction: Dr. James J. Asher explains what Tan-Gau is all about.

DVD • Black & White • 30 minutes • Narrated in English
Copyright 2009
Sky Oaks Productions, Inc.

"Live" Demonstration of Tan-Gau

✓ In your very first meeting with your students, you experience immediate success.

✓ Every student is comfortable.

✓ Students have great fun deciphering what Raymond is saying in French.

✓ Every student understands what is happening. No one is ever left behind.

Something extra

In this extraordinary demonstration, the instructor, Raymond, speaking to the students in an alien language, allows the students to respond in their native language. This means that students are completely at ease and receptive to what Raymond is saying in French. Watch the expressions on the faces of these young students.

Remarkable results after five years in Canadian schools!

Middle of the first year
Most students are speaking French.
End of the second year
All students are conversing in French.

A bonus

The new tool that you have never seen before works for all languages and all ages, including adults.

"Live" Demonstration of Tan-Gau!

(Order # 9-DVD)

TPR Storytelling
by
Todd McKay
Outstanding Classroom Instructor
recently named to
Who's Who Among America's Teachers

✔ Pre-tested in the classroom for 8 years to guarantee success for your students.

✔ Easy to follow, step-by-step guidance each day for three school years - one year at a time.

✔ Todd shows you how to switch from activity to activity to keep the novelty alive for your students day after day.

✔ Evidence shows the approach works: Students in storytelling class outperformed students in the traditional ALM class.

✔ Each story comes illustrated with snazzy cartoons that appeal to students of all ages.

✔ There is continuity to the story line because the stories revolve around one family.

✔ Complete with tests to assess comprehension, speaking, reading and writing.

✔ Yes, cultural topics are included.

✔ Yes, stories include most of the content you will find in traditional textbooks including vocabulary and grammar.

✔ Yes, included is a brief refresher of classic TPR, by the originator—
Dr. James J. Asher.

✔ Yes, games are included.

✔ Yes, your students will have the long-term retention you expect from TPR instructions.

✔ Yes, Todd includes his e-mail address to answer your questions if you get stuck along the way.

✔ Yes, you can order a video demonstration showing you step-by-step how to apply every feature in the Teacher's Guidebook.

Order Number	Title
400	Student Book - Year 1 **English**
401	Student Book - Year 2 **English**
402	Student Book - Year 3 **English**
410	Student Book - Year 1 **Spanish**
411	Student Book - Year 2 **Spanish**
412	Student Book - Year 3 **Spanish**
420	Student Book - Year 1 **French**
421	Student Book - Year 2 **French**
422	Student Book - Year 3 **French**
430	Complete Testing Packet for **English** Listening, Reading, Speaking, and Writing
431	Complete Testing Packet for **Spanish** Listening, Reading, Speaking, and Writing
432	Complete Testing Packet for **French** Listening, Reading, Speaking, and Writing
440	Teacher's Guidebook for **English**
441	Teacher's Guidebook for **Spanish**
442	Teacher's Guidebook for **French**
450	Transparencies for All Languages - Year 1
451	Transparencies for All Languages - Year 2
452	Transparencies for All Languages - Year 3
460	TPR Storytelling Video *Shows every step in the Teacher's Guidebook.*

} Applies to Level 1, 2, 3

Exciting new products from Todd McKay!
TPR Index Cards
(Easy-to-handle 4x5 cards)

1. Index cards tell you exactly what to say, lesson by lesson.
2. 60 Cards with vocabulary from First Year textbooks.
3. When your students internalize this vocabulary, they're ready for a smooth transition to stories.
4. No need to fumble through a book.
5. No need to make up your own lessons.
6. Quick! Easy to use! Classroom-tested for success!
7. Works for students of all ages, including adults!

470	TPR Index Cards for **English**
471	TPR Index Cards for **Spanish**
472	TPR Index Cards for **French**
473	TPR Index Cards for **German**

TPR IS MORE THAN COMMANDS —*AT ALL LEVELS*

CONTEE SEELY & ELIZABETH ROMIJN
Winner of the Excellence in Teaching Award

Explodes myths about the Total Physical Response:

Myth 1: TPR is limited to commands.

Myth 2: TPR is only useful at the beginning of language acquisition.

Demonstrates how you can use Professor James Asher's approach—

✔ to *overcome problems* typically encountered in the use of TPR,

✔ to teach *tenses* and *verb forms* in *any language* in 6 ways,

✔ to teach *grammar, idioms*, and *fluent discourse* in a natural way, and

✔ to help your students *tell stories* that move them into fluent speaking, reading, and writing.

Shows you how to go from zero to correct spoken fluency with TPR.

Order #	Title:
95	TPR is More Than Commands All All Levels

Prize-Winning!
COMPREHENSION BASED LANGUAGE LESSONS
by Margaret S. Woodruff, Ph.D.

Here are **detailed lesson plans** for **60 hours** of **TPR Instruction** that make it **easy** for novice instructors to apply the **total physical response** approach **at any level.** The **TPR lessons** include

- **Step-by-step directions** so that instructors **in any foreign language** (including ESL) can apply comprehension training successfully.

- **Competency tests** to be given after the 10th and 30th lessons.

- **Pretested short exercises**—dozens of them to capture student interest.

- **Many photographs**

NOTE!

To satisfy everyone, we have printed the lessons in two languages — **English** and **German**, but we have charged you only the cost of printing a single language.

Order #290

Winner of the
Paul Pimsleur Award
(With Dr. Janet King Swaffar)
Illustrations and photographs
by Del Wieding

TOTAL PHYSICAL RESPONSE IN THE FIRST YEAR
By
Dr. FRANCISCO L. CABELLO
with William Denevan

Dear Colleague:

I want to share with you the **TPR Lessons** that my high school and college students have **thoroughly enjoyed** and **retained** for weeks—even months later. My book has...

- A step-by-step script with props to conduct each class.

- A command format that students thoroughly enjoy. (Students show their understanding of the spoken language by successfully carrying out the commands given to them by the instructor. **Production** is delayed until students are ready.)

- Grammar taught implicitly through the imperative.

- Tests to evaluate student achievement.

- Now in **English, Spanish,** or **French.**

Sincerely,

Francisco Cabello, Ph.D.

Hot off the press in your choice of English (#221), Spanish (#220), or French (#222)!

Professor Stephen M. Silvers

TPR for Students of All Ages!

For 30 years, "Listen & Perform" worked for students of all ages
learning English in the Amazon - and it will work for your students too!

Order this popular Student Book in **ENGLISH**, **SPANISH** or **FRENCH**!

More than 150 exciting pages of stimulating **Total Physical Response** exercises such as:

drawing • pointing • touching • matching • moving people, places, and things

With the **Student Book** and companion **CD**, each of your students can perform <u>alone at their desks</u>
or <u>at home</u> to move from understanding the target language to speaking, reading, and writing!

Order #	Title:	Recommendation:
271	**Teacher's Guidebook** for All Languages (in **English**)	
270	**Student Book** in **English** for Listen and Perform	
278	**Audio CD** in **English** for Listen and Perform	
272	**Audio Cassette** in **English** for Listen and Perform	
274	**Student Book** in **Spanish** for Listen and Perform	**TPR Lessons for students**
278	**Audio CD** in **Spanish** for Listen and Perform	**at all levels.**
276	**Audio Cassette** in **Spanish** for Listen and Perform	
275	**Student Book** in **French** for Listen and Perform	
278	**Audio CD** in **French** for Listen and Perform	
277	**Audio Cassette** in **French** for Listen and Perform	

TPR for Young Children!

- Marvelously **simple format:** Glance at a page and instantly move
  your students in a logical series of actions.
- **Initial screening test** tells you each student's skill.
- After each lesson, there is a **competency test** for each students.
- Recommended for **preschool**, **kindergarden**, and **elementary**.

Order #	Title:
240	**Learning With Movements - English**
241	**Learning With Movements - Spanish**
242	**Learning With Movements - French**

LEARNING WITH MOVEMENTS

by Nancy Márquez

TPR
Total Physical Response

How to TPR Grammar

For Beginning, Intermediate, and Advanced Students of All Ages!

Edited by William Denevan, Trainer of Foreign Language Teachers at Stanford University.

"TPR is fine for commands, but how can I use it with other grammatical features?"

Eric Schessler shows you how to apply **TPR** for <u>stress-free</u> acquisition of <u>50</u> grammatical features such as:

Abstract Nouns	Expletives	Past Continuous	Prepositions of Place	Singular/Plural Nouns
Adjectives	Future - to be going to	Past Perfect	Prepositions of Time	Subject Pronouns
Adverbs	Future - Will	Past tense of Be	Present Continuous	Tag Questions
Articles	Have - Present and Past	Possessive Case	Present Perfect	Verbs
Conjunctions	Interrogative Verb forms	and Of expressions	Simple Past	Wh - Questions
Demonstratives	Manipulatives	Possessive Pronouns	Simple Present	
	Object Pronouns			

Order #	Title:	Recommendation:
260	**English Grammar Through Actions** by Eric Schessler	**ESL Students of All Ages**
261	**Spanish Grammar Through Actions** by Eric Schessler	**Students of Spanish of All Ages**
262	**French Grammar Through Actions** by Eric Schessler	**Students of French of All Ages**

How to TPR Vocabulary!

- Giant 300 page resource book, alphabetized for quick look-up.
- Yes, includes *abstractions!*

- Yes, you will discover how to TPR 2,000 vocabulary items from Level 1 and Level 2 text-books.

Look up the word...   How to TPR it

Where   1. Pedro, stand up and run to the door. Maria, sit **where** Pedro was sitting. 2. Write the name of the country **where** you were born. 3. Touch a student who's from a country **where** the people speak Spanish (French, English).

For all ages!

Order #273

The
Command Book
How to TPR 2,000 Vocabulary Items in Any Language
by STEPHEN SILVERS

How to TPR Grammar!

For Beginning, Intermediate, and Advanced Students of All Ages!
Available for English (#260), Spanish (#261), and French (#262)!

"TPR is fine for commands, but how can I use it with other grammatical features?"

Eric Schessler shows you how to apply **TPR** for <u>stress-free</u> <u>acquisition</u> <u>of</u> <u>50</u> <u>grammatical</u> <u>features</u> such as:

Abstract Nouns	Expletives	Object Pronouns	Possessive Pronouns	Simple Present
Adjectives	Future - to be going to	Past Continuous	Prepositions of Place	Singular/Plural Nouns
Adverbs	Future - Will	Past Perfect	Prepositions of Time	Subject Pronouns
Articles	Have - Present and Past	Past tense of **Be**	Present Continuous	Tag Questions
Conjunctions	Interrogative Verb forms	Possessive Case	Present Perfect	Verbs
Demonstratives	Manipulatives	and **Of** expressions	Simple Past	Wh - Questions

---

Laura J. Ayala

FAVORITE GAMES FOR FL - ESL CLASSES

(For All Levels and All Languages)
by
Laura Ayala & Dr. Margaret Woodruff-Wieding

Order #291

Chapter 1: Introduction

Chapter 2: Getting Started with Games
- How to get students involved
- How the games were selected or invented.

Chapter 3: Game Learning Categories
- Alphabet and Spelling
- Changing Case
- Changing Tense
- Changing Voice
- Describing Actions
- Describing Objects

Chapter 3 (Cont.)
- Getting Acquainted
- Giving Commands
- Hearing and Pronouncing
- Statements & Questions
- Negating Sentences
- Numbers and Counting
- Parts of the Body and Grooming
- Plurals and Telling How Many
- Possessive Adjectives & Belonging
- Recognizing Related Words
- Telling Time
- Using Correct Word Order.

Chapter 4: Games by Technique
- Responding to Commands
- Guessing
- Simulating
- Listing
- Categorizing
- Associating
- Sequencing
- Matching

Chapter 5: Special Materials For Games
- Objects
- Authentic Props
- Pictures
- Cards
- Stories

Chapter 6: Bibliography

Look, I Can Talk!
Original Student Book for Level 1
in English, Spanish, French or German

Step-by-step, Blaine Ray shows you how to tell a story with **physical actions**, then have your students *tell the story to each other* in their own words **using the target language**, then **act** it out, **write** it and **read** it. Each **Student Book for Level 1** comes in your choice of *English, Spanish, French* or *German* and has

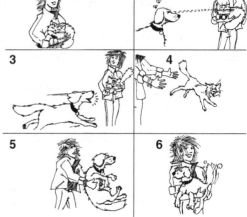

- ✔ 12 main stories
- ✔ 24 additional action-packed picture stories
- ✔ Many options for retelling each story
- ✔ Reading and writing exercises galore.

Blaine _**personally guarantees**_ that each of your students will eagerly tell stories in the target language by using the **Student Book.**

Follow the steps in the **Teacher's Guidebook** and then work story-by-story with easy-to-use **Overhead Transparencies.**

Order #	Title:
110	**Look, I Can Talk!** *Teacher's Guidebook for All Languages* (In English)
115	**Look, I Can Talk!** *Student Book for Level 1 -* **English**
116	**Look, I Can Talk!** *Student Book for Level 1 -* **Spanish**
117	**Look, I Can Talk!** *Student Book for Level 1 -* **French**
118	**Look, I Can Talk!** *Student Book for Level 1 -* **German**
111	**Look, I Can Talk!** *Overhead Transparencies for All Languages*

This is the original book that started TPRS!

Look, I Can Talk More!
Student Book for Level 2

by Blaine Ray with Joe Neilson, Dave Cline, Carole Stevens, and Christopher Taleck

Once again Blaine uses his exciting technique of blending **physical actions** with interesting story lines to get the students **talking, reading,** and **writing** in the **target language**. This second series of stories continues to build vocabulary while focusing on more advanced grammatical concepts common to second year language classes (i.e., use of infinitives, reflexive verbs, direct and indirect object pronouns, preterite vs. imperfect, etc.) Students enjoy using the target language to describe the stories as well as stories they have created.

Order #	Title::	
120	**Look, I Can Talk More!** Student Book for Level 2 - **English**	Level 2 ESL Students
122	**Look, I Can Talk More!** Student Book for Level 2 - **Spanish**	Level 2 Spanish Students
123	**Look, I Can Talk More!** Student Book for Level 2 - **French**	Level 2 French Students
121	**Look, I Can Talk More!** Student Book for Level 2 - **German**	Level 2 German Students
124	**Look, I Can Talk More!** *Overhead Transparencies for All Languages*	To help you demonstrate 10 main stories

LIVE ACTION
ENGLISH, SPANISH, FRENCH, GERMAN, ITALIAN, OR JAPANESE!!

Each page is a "happening" — a list of imperatives to be performed in the classroom with props. There are 67 happenings such as Washing Your Hands, Going Swimming, Using a Pay Phone, Taking Pictures, and Going to the Movies (Go to the movie theater. Buy a ticket. Give it to the ticket-taker at the door, etc.)

Excellent for all levels. Basic survival vocabulary can be used as a basis for a great variety of lessons, especially verb work.

Elizabeth Romijn and Contee Seely

Order #	Title:
255	Live Action **English**
227	Live Action **English** - Audio Cassettes
256	Live Action **Spanish**
257	Live Action **French**
258	Live Action **German**
259	Live Action **Italian**
226	Live Action **Japanese**

✓ **FIND** the products you want at www.tpr-world.com.
✓ **WRITE** on this Order Form or your School Purchase Order the items you want.
✓ **FAX** or **MAIL** the Order Form and/or School Purchase Order to us. We'll do the rest, pronto!

TPR ORDER FORM
BOOKS • VIDEO DEMONSTRATIONS • STUDENT KITS • GAMES

Sky Oaks Productions, Inc.
P.O. Box 1102 • Los Gatos, California, USA 95031
Since 1973

Phone: (408) 395-7600
e-mail: tprworld@aol.com
Fax:
(408) 395-8440
Sky Oaks

Use your VISA, Discover, or MasterCard to
order from anywhere in the world! WE SHIP ASAP!

Please Print or Type:

Name _____ Date of Order:_____

School *or* Residence_____

Street or P.O. Box_____City_____State_____Zip_____

Country_____Phone (____)_____Fax (____)_____E-mail _____
Please print.

MasterCard   **VISA**   **Discover Card,**
Visa/MC Card No. ☐☐☐☐ ☐☐☐☐ ☐☐☐☐ ☐☐☐☐

Expiration Date _____ **Authorized Signature** _____

PAGE	ORDER NO.	QUANTITY	DESCRIPTION & LANGUAGE	EACH	TOTAL

☐ Send <u>order form</u> only
☐ Send <u>complete catalog</u> plus <u>complimentary article</u>
☐ My <u>Check</u> or <u>Purchase Order</u> is enclosed.

Subtotal	
California residents: Add sales tax	
USA: Add 12% for shipping & handling (minimum: $6.95)	
Outside USA: for S & H add 30% (minimum: $13.95)	
(U.S. Currency) Total	$

P.S. To order <u>directly</u> <u>online</u>,
go to **tpr-world.com**

Prices subject to change
without notice.

Order Form

CPSIA information can be obtained
at www.ICGtesting.com
Printed in the USA
BVHW010231100819
555531BV00009B/176/P